Bettina Wenzel
Wie Prinzessin Ludmilla
den Drachen eroberte

Bettina Wenzel
1966 geboren, studierte Germanistik, Publizistik und
Philosophie in Salzburg und München, wo sie heute lebt.
Seit 1998 ist sie als freie Journalistin für verschiedene
Rundfunk- und Fernsehanstalten tätig und veröffentlichte
zahlreiche Ratgeber. „Wie Prinzessin Ludmilla den Drachen
eroberte" ist ihr erstes Kinderbuch.

Markus Grolik
geboren 1965, lebt ebenfalls in München. Er illustriert und
schreibt seit vielen Jahren Kinderbücher.
Im Sauerländer Programm erschienen von ihm u.a. die
beliebten Abenteuer des Privatdetektivs Perry Panther
und zuletzt „Der Yeti und der Donner der Goldenen Wolke".

Bettina Wenzel

Wie Prinzessin Ludmilla den Drachen eroberte

Mit vielen Bildern von
Markus Grolik

Sauerländer

Bibliografische Information der Deutschen Nationalbibliothek
Die Deutsche Nationalbibliothek verzeichnet diese Publikation in
der Deutschen Nationalbibliografie; detaillierte bibliografische Daten
sind im Internet über http://dnb.d-nb.de abrufbar.

© 2007 Patmos Verlag GmbH & Co. KG
Sauerländer, Düsseldorf
Alle Rechte vorbehalten
Umschlagillustration: Markus Grolik
Umschlaggestaltung: grimm.design, Düsseldorf
Printed in Austria
ISBN 978-3-7941-6100-3
www.patmos.de

Inhalt

Verratzt und zugenäht! 7

100 Soldaten und ein geplanter Klau 15

Auch Drachen haben Probleme 21

So war das alles nicht geplant! 31

Spaghetti saugen und Polka tanzen 39

Achtung, verbeulter Ritter! 49

Ein wunderbar herrlicher Abend 57

Verratzt und zugenäht!

Prinzessin Ludmilla Eulalie Gundula die Erste vom Königreich Steinreich wachte am Morgen in ihrem himmelblauen Himmelbett auf und gähnte herzhaft. Wie ein hungriger Tiger riss sie dabei ihren kirschroten Mund auf, ohne die Hand davorzuhalten. Für eine Prinzessin war das äußerst unschicklich. Genau deswegen machte es ihr besonders viel Spaß.

Als sie fertig gegähnt hatte, sprang sie aus dem Bett und wollte in ihr Prinzessinnen-Badezimmer gehen. Plötzlich stand, wie aus dem Boden gewachsen, die Zofe vor ihr.

„Huch", rief die Prinzessin und machte einen erschrockenen Hüpfer zur Seite.

„Ihr wolltet euch doch nicht etwa schon wieder allein waschen?", fragte die Zofe streng.

„Und wenn doch?", fragte Ludmilla Eulalie Gundula

die Erste vom Königreich Steinreich trotzig zurück.

Sie konnte die Zofe nicht leiden.
Die Frau war dünn wie eine Bohnen-
stange und hatte eine bedrohlich
spitze Nase. Prinzessin Ludmilla
Eula… (der Einfachheit halber
nennen wir sie nur noch
Prinzessin Ludmilla), also: Sie
hatte überlegt, ein Etui für die Nase
der Zofe zu basteln. Ein Etui wie für
ein Schwert, damit die Zofe nicht aus
Versehen oder mit Absicht jemanden
erstach.

„Ts, ts, ts", machte die Zofe und schüttelte ihr Haupt.
„Ihr müsst noch viel lernen, junge Dame."
Mit diesen Worten schob sie Prinzessin Ludmilla in das
Badezimmer und stellte sie in eine goldene Bade-
wanne. Sie zog ihr das seidene Nachthemd über den
Kopf und wusch sie von den Ohren bis zu den Zehen.
„Aua, das tut weh", protestierte die nasse Prinzessin
und verschränkte wütend die Arme vor der Brust.
„Wieso, zum Rattenschiss, darf ich mich nicht selber
waschen?"

„Ts, ts, ts", machte die Zofe wieder und schüttelte heftig ihr Haupt. Prinzessin Ludmilla hoffte schon, es würde ihr abfallen. „Eine Prinzessin, die sich selber wäscht! Wo kämen wir denn da hin? Und außerdem sollt Ihr aufhören, diese schrecklichen Ausdrücke zu verwenden. Die sind einer Prinzessin nicht würdig."

Dazu muss angemerkt werden, dass früher in den Königreichen die Ratten eine große Plage waren. Sie versteckten sich in den Kellern und fraßen den königlichen Bauern die Ernte weg. Viele Bauern schimpften daher über die ungeliebten Tiere. „Himmel, Ratz und Wolkenbruch", „verratzt und zugenäht" oder „zum Rattenschiss" gehörten noch zu den harmloseren Flüchen.

Der Prinzessin war ihre Würde ziemlich egal. Sie dachte gerade darüber nach, wo man denn wohl überall hinkäme, wenn sich eine Prinzessin selber waschen würde. Da ertönte ein silberhelles Klingeln.

„Ach herrje, das Frühstück ist schon fertig", jammerte die Zofe und schlug ihre dünnen Arme über dem Zofendutt

zusammen. „Warum Ihr auch immer so trödeln müsst, Prinzessin. Ich werde Euretwegen noch meine Stellung verlieren. Ts, ts, ts."

Das hoffte Prinzessin Ludmilla insgeheim auch. Allerdings standen die Chancen denkbar schlecht. Ihre Mutter, Königin Gertrude von Steinreich, hielt große Stücke auf die Zofe und würde sie nie entlassen.

„Ich komm ja schon", brummelte die Prinzessin und hob widerwillig ihre Arme, damit ihr die Zofe das Frühstückskleid überziehen konnte.

Das Glöckchen ertönte zum zweiten Mal.

„Nun macht schon", drängelte die Zofe.

„Ich komm ja", raunzte die Prinzessin zurück und schob sich noch rasch einen Kamm in die Locken. Dann packte die Zofe sie an der Hand und zog sie hinter sich her die Treppe hinunter.

Im Frühstückszimmer saßen König Friedbart und seine Gemahlin Königin Gertrude bereits zu Tisch und warteten.

Die Zofe verneigte sich so tief, dass sie mit ihrer Nase fast ein Loch in den Boden stach.

„Kind, du bist schon wieder zu spät", sagte Königin Gertrude mit einem tadelnden Blick.

„Bitte verzeiht, Eure königliche Hoheit, ich, wir...", stotterte die Zofe. Doch die Königin unterbrach sie.

„Nein, nein, Sie trifft gewiss keine Schuld."

Der König nickte zustimmend. Die Zofe atmete auf.

Eltern, dachte Prinzessin Ludmilla eingeschnappt. Immer fallen sie einem in den Rücken.

Mit zusammengekniffenen Lippen setzte sie sich an den Tisch, ihren Eltern gegenüber. Der König klatschte ein Mal in die Hände. Da erschienen sieben der insgesamt eintausenddreihundertsiebenundfünfzig Bediensteten des Schlosses. Sie brachten sieben riesige

silberne Teller, die alle mit einer silbernen Käseglocke abgedeckt waren. Sie stellten die Teller auf den Tisch. Dann riefen sie „eins, zwei, drei" und hoben auf „drei" gleichzeitig die silbernen Käseglocken ab:

Zarteste Hühnerbeinchen, weißester Spargel, süßeste Feigen, die rundesten Spiegeleier, die rötesten Äpfel und die grünsten Trauben, knackigster Speck, sieben Sorten feinste Trinkschokolade mit Milch, vom königlichen Schaumschläger eigenhändig schaumig geschlagen. Bei der Riesenauswahl an Köstlichkeiten würde wohl jedem das Wasser im Munde zusammenlaufen.

Doch die Prinzessin verschränkte wieder ihre Arme vor der Brust und sagte: „Ich will diese verratzten Hühnchenbeine nicht. Auch nicht den Spargel und schon gar nicht die superrunden Spiegeleier. Ich will ein Butterbrot. Von mir aus auch ein Wurstbrot und ein Glas Milch, so wie jedes normale Mädchen auch."

Die Zofe schnappte empört nach Luft.

Prinzessin Ludmilla hoffte schon, dass sie vielleicht platzen würde wie ein prall gefüllter Luftballon.

Auch König Friedbart und Königin Gertrude holten tief Luft. Sie bemühten sich, ganz ruhig zu bleiben, wie es sich für königliche Eltern gehört. Erst einmal

entschlossen sie sich, den Ausdruck „verratzt" zu
überhören. Dann blickten sie sich sorgenvoll an.
Die sieben Bediensteten zuckten hilflos mit den
Schultern. Und dann sagte der König mit einer
Stimme, die keinen Widerspruch duldete: „So etwas
essen Prinzessinnen nicht."
Damit war für ihn der Fall erledigt.
Und die Zofe platzte auch nicht.

Auf diese Art vergingen die Vormittage von Prinzessin
Ludmilla.
Die Nachmittage waren auch nicht viel besser.
Da wurde sie von den königlichen Lehrern in einem
der fünfhundertachtunddreißig Schlosszimmer unter-
richtet: wie man sich als Prinzessin zu benehmen, zu
kleiden und wie man zu reden hatte. Was und wie
man als Prinzessin aß und wie man einen Heirats-
antrag anzunehmen hatte. Diese Unterrichtsstunde
fand die Prinzessin übrigens am langweiligsten.
„Ich werde so einen blöden Prinzen niemals heiraten.
Ich will doch nicht mein Leben lang eine Prinzessin
sein und nichts tun, außer mich gut zu benehmen und
dumme Prinzessinnenkleider zu tragen", sagte sie den
armen Lehrern mitten ins Gesicht.

Die wussten nicht recht, was sie darauf antworten sollten. Meistens gingen sie nach dem Unterricht zu den königlichen Eltern und beschwerten sich über das schlechte Benehmen der Prinzessin.

Doch die Eltern wussten auch nicht weiter und sagten: „Eine Prinzessin kann sich gar nicht schlecht benehmen."

Eine Prinzessin, die sich nicht wie eine Prinzessin benahm, so etwas kannten sie einfach nicht.

An den Abenden las die Zofe der Prinzessin aus den schrecklich komplizierten Chroniken des Königreichs Steinreich vor. Prinzessin Ludmilla hoffte schon, dass die Frau sich an den vielen verschnörkelten Worten verschlucken würde. Leider konnte die Zofe aber sehr gut lesen.

Prinzessin Ludmilla wurde von Tag zu Tag verzweifelter und überlegte ständig, wie sie dem langweiligen Prinzessinnenleben entfliehen könnte. Und da erfuhr sie die Sache mit dem Drachen.

100 Soldaten und ein geplanter Klau

Wieder einmal erwachte die Prinzessin in ihrem himmelblauen Himmelbett und wollte zu einem herzhaften Gähnen ansetzen. Da standen plötzlich einhundert Soldaten wie aus dem Boden gewachsen in ihrem Zimmer und riefen: „Guten Morgen, Prinzessin Ludmilla Eulalie Gundula die Erste vom Königreich Steinreich!"

Der Prinzessin blieb das Gähnen im Hals stecken. Sie starrte die Soldaten mit halb offenem Mund an. „Was zum Rattenschiss soll das denn jetzt schon wieder?"

„Ts, ts, ts", kam es aus der Mitte der einhundert Soldaten.

Die spitznasige Zofe drängelte sich an den Soldaten vorbei zum Himmelbett und keuchte angsterfüllt: „Es ist wegen des Drachens. Außerdem verwendet eine Prinzessin so einen unschicklichen Ausdruck nicht."

An diesem Morgen zog sich die Prinzessin sehr schnell an. Der Zofe und den einhundert Soldaten wurde dabei ganz schwindelig.

Dann rannte die Prinzessin noch vor dem Klingeln des Glöckchens die Treppe hinunter (die Zofe und die Soldaten hinterher), pflanzte sich vor ihren Eltern auf und fragte gespannt: „Was für ein Drache?"

Da erzählte ihr König Friedbart von dem riesigen, Feuer speienden Drachen. Er trieb wie alle Drachen sein schreckliches Unwesen in den Drachenbergen. Bis jetzt habe er das Königreich Steinreich verschont. Doch nun sei Prinzessin Ludmilla Eulalie Gundula die Erste vom Königreich Steinreich in dem Alter, da ein Drache auf die Idee komme, sie zu klauen. So seien die bösartigen Drachen nun mal. Das liege ihnen im Blut. Und vor diesem Klau müsse man die Prinzessin schützen. Deswegen würden die einhundert Soldaten der Prinzessin ab heute auf Schritt und Tritt folgen. Das erzählte König Friedbart mit ernster Stimme.

Königin Gertrude nickte ebenso ernst mit ihrem königlichen Kopf.

Die blauen Augen der Prinzessin leuchteten. „Das ist ja rattenscharf", jubelte sie. „Wann kommt er denn, der Drache?"

„Das wissen wir eben nicht",
antwortete die Königin. Sie war
über die Fröhlichkeit ihrer Tochter
etwas verwundert. „Aber deswegen
lassen wir dich ja Tag und Nacht von
den Soldaten bewachen."
Mit skeptischem Blick schaute Prinzessin
Ludmilla die undurchdringlichen Reihen der
strammstehenden Soldaten an. Sie lächelten
etwas verlegen.
Ob mich bei *der* Bewachung jemand klauen
kann?, überlegte sie. Ach was, ein Drache
wird das schon schaffen, dachte sie dann und
winkte den Soldaten aufmunternd zu.
Zum ersten Mal verdrückte sie zur Über-
raschung ihrer Eltern drei superrunde
Spiegeleier, fünf Stangen weißesten Spargel,
drei Tassen schaumig geschlagene Trinkschokolade und zwei der feinsten Hühnerbeinchen
zum Frühstück.
Auch die Zofe schürzte ihre dünnen Lippen zu einem
zufriedenen Lächeln. Alle glaubten, dass aus
Prinzessin Ludmilla doch noch eine richtige Prinzessin
würde.

Zurück in ihrem Zimmer, probte die Prinzessin vor dem Spiegel das Zusammentreffen mit dem schrecklichen, Feuer speienden Drachen.

„Oh, guten Tag, Herr Drache, nehmen Sie mich ruhig mit", sagte sie und schüttelte dann den Kopf. Nein, man soll es ihm nicht zu leicht machen.

„Hilfe, ein Drache, lass mich sofort los, du schrecklicher Unhold!" Nein, dann lässt er mich am Ende noch hier und sucht sich eine andere Prinzessin.

„Hol mir mal jemand aus der königlichen Bibliothek ein Buch über das Verhalten von Drachen!", befahl sie den einhundert Soldaten.

Die lümmelten gerade gemütlich auf dem himmelblauen Teppich ihres Zimmers und vertilgten belegte Brote.

„Das geht nicht", sagte der Anführer und versuchte rasch seinen Bissen Brot hinunterzuschlucken. „Wir müssen Euch vor dem Drachen beschützen."

„Aber wenn einer geht, sind doch noch immer neunundneunzig Soldaten da."

„Befehl ist Befehl."

Also ging die Prinzessin selbst in die Bibliothek und suchte ein Buch über Drachen. Die einhundert Soldaten hatte sie im Schlepptau. Und alle kauten sie an ihren belegten Broten.

Bei über fünftausend Büchern dauerte das Suchen ein bisschen.

„Hier ist eins", rief die Prinzessin endlich zufrieden. Sie zog ein verstaubtes, halb zerfallenes Buch von einem der hintersten Regale. Es war in schweres Schweinsleder gebunden. Die Soldaten atmeten erleichtert auf. So viele Bücher schlugen ihnen aufs Gemüt.

Auf dem Umschlag las Prinzessin Ludmilla den Titel: *Was man unbedingt über Drachen wissen sollte. Zusammengestellt und niedergeschrieben von Dragomir Feuerstuhl.* Mit dem Zeigefinger sauste sie über die Seiten, bis sie das richtige Kapitel fand:

Drachen und das Klauen von Prinzessinnen. Sie las: *Nach seinem einhundertundelften Geburtstag muss ein Drache eine Prinzessin klauen. Das ist eben so. Alle vergangenen Drachen haben es gemacht und alle zukünftigen Drachen werden es tun und die gegenwärtigen sind wahrscheinlich gerade dabei. Ein Drache wird die Prinzessin seiner Wahl klauen. Er wird sie in seine*

Höhle schleppen, egal ob sie schreit, weint, schimpft oder mit ihrem großen Bruder droht. Merke: Ein Drache ist immer stärker als hundert große Brüder.

Da bin ich ja froh, dachte die Prinzessin beruhigt.

Sie las weiter: *Am besten ist es für eine Prinzessin, sich schlafend zu stellen, wenn der Drache brüllend und Feuer speiend in ihr Zimmer fliegt. Das schont ihre Nerven. Außerdem erleichtert es dem Drachen eine Aufgabe, die er, wie schon gesagt, ohnehin erledigen wird.*

Die Prinzessin legte das Buch zur Seite. Sie wusste jetzt alles, was sie wissen wollte.

„Aufwachen!", rief sie den Soldaten zu, die sich verschlafen auf den Bibliothekscouchen räkelten. Dann gingen sie alle wieder zurück in Prinzessin Ludmillas himmelblaues Zimmer. Und während die Prinzessin in ihrem Bett lag und selig schlummerte, wurde sie von allen einhundert Soldaten aufs Schärfste bewacht.

Auch Drachen haben Probleme

An dieser Stelle verlassen wir für kurze Zeit das
Königreich Steinreich und die Prinzessin. Sie schläft ja
ohnehin. Wir wenden unseren Blick in die Drachen-
berge, wo der Feuer speiende Drache sein schreck-
liches Unwesen treiben soll.
Garibaldi Feuerstuhl war der Sohn von Funkula und
Dragomir Feuerstuhl. Wir erinnern uns: Dragomir
war der Verfasser des Buches *Was man unbedingt über
Drachen wissen sollte.*
Garibaldi Feuerstuhl also stand einen Tag vor seinem
einhundertundelften Geburtstag. Und der einhundert-
undelfte Geburtstag spielt im Leben eines Drachen
eine besondere Rolle. Deshalb herrschte in der
Drachenhöhle der Familie Feuerstuhl schon seit einer
Woche heillose Aufregung.
Alle Tanten, Onkel, Großtanten, Nichten, Neffen,

Cousins und Cousinen von Garibaldi hatten ihre
Koffer und Taschen gepackt. Voll beladen mit
Geschenken hatten sie sich auf den Weg, oder besser:
auf den Flug gemacht. Schließlich wollten sie das
große Ereignis nicht versäumen.
Da gab es Tante Dragunda. Sie ähnelte eher einem
Walross als einem Drachen. Sie war stolze Besitzerin
eines Tante-Emma-Ladens und brachte Garibaldi
schon immer diese dicken Kleisterbonbons mit. Die
blieben ihm dann tagelang in den Backenzähnen
kleben.
Onkel Speirich mit den dicken Brillengläsern war blind
wie ein Maulwurf. In der Familie erzählte man sich,
dass er einmal während eines kalten Winters mit
einem gezielten Spucken einen Holzstoß in Brand
setzen wollte. Doch stattdessen hatte er versehentlich
seine Frau erwischt. Zuerst war die natürlich fuchs-
drachenwild gewesen. Immerhin war ihre schöne

grüne Drachenhaut plötzlich ganz schwarz und
verkohlt. Doch nach mehreren Häutungen (denn
Drachen häuten sich bekanntlich jedes Jahr) war sie
zum Glück wieder ganz die Alte. Da beruhigte sie sich
und Onkel Speirich bekam eine dicke Brille.
Richtig – und dann war da noch Tante Mir Nach!
Keiner konnte sich mehr an ihren richtigen Namen
erinnern. Jeder nannte sie nur Mir Nach! oder
Garibaldi eben Tante Mir Nach! Sie hatte zusammen
mit ihrem Mann Spucknik zwölf kleine Drachen in die
Welt gesetzt. Um diese Großfamilie in den Griff zu
bekommen, hatte sie ständig mit resoluter Stimme
„Mir nach!" gerufen. Da waren ihr die kleinen
Drachen stets wie die Entenküken gefolgt.
Die zwölf Drachenkinder waren mittlerweile groß und
lebten auf der ganzen Welt verstreut. Neun waren
gerade zu Garibaldis Geburtstag angereist. Aber das
„Mir nach!" war der Tante geblieben, genauso wie ihr
Mann Spucknik. Der folgt – so wird in der Verwandt-

schaft gern erzählt – seiner Frau angeblich ebenfalls wie ein Entenküken.

Natürlich gibt es noch jede Menge andere Verwandte, doch die alle aufzuzählen würde Tage dauern. Sehen wir uns lieber Garibaldi selbst etwas näher an, das morgige Geburtstagskind:

Garibaldi ging der ganze Geburtstagsrummel gehörig auf die Nerven. Er war schon immer ein ruhiger Drache gewesen. Am liebsten saß er vor der Höhle und guckte in die Wolken. Außerdem dachte er sich gern Gedichte aus. Früher hatte er sie immer in die Höhlenwände geritzt, bis es ihm seine Mutter verbot. Garibaldi saß auch an diesem Tag in der Höhle und schrieb. Er hatte Ohrenstöpsel in seinen Drachen- ohren, um nicht gestört zu werden. Deswegen hörte er nicht, wie seine Mutter zur Tür hereinkam. Schließlich tippte Funkula ihrem Sohn auf die Schulter. „Huch", rief Garibaldi erschrocken und spie vor lauter Schreck ein kleines Feuer. „Entschuldige, ich hab dich nicht gehört", sagte er und nahm die Ohrenstöpsel heraus.

Funkula kraulte ihrem Sohn die Drachenohren. „Deine Verwandtschaft fragt nach dir", sagte sie. „Sie wollen wissen, ob du schon weißt, welche Prinzessin du klauen willst."

Garibaldi schluckte. Das war genau das Problem. Immer wieder hatte er versucht, mit seinen Eltern darüber zu reden. Aber es war einfach zu kompliziert. Seit fast einem Jahr sprach sein Vater von nichts anderem als von seinem eigenen Prinzessinnenklau vor dreihundertneun Jahren: wie stolz er damals gewesen war und wie wichtig das Klauen doch für einen Drachen sei, für sein Selbstbewusstsein und so. Nein, Garibaldi konnte es ihm einfach nicht sagen. Und seiner Mutter? Sie sprach seit einem Jahr von nichts anderem als von der großen Feier. Die wollte sie ihrem einzigen Drachensohn zu Ehren geben. Sie sprach davon, wie stolz sie auf ihn sei. Und sie könne es kaum erwarten, ihren Sohn mit einer richtigen geklauten Prinzessin zu sehen.

Nein, *ihr* konnte es Garibaldi noch viel weniger erzählen.

Aber andererseits: Irgendwann musste er es sagen! Entschlossen räusperte er sich. Und in der Aufregung entfuhr ihm wieder ein kleiner Feuerstrahl. Funkula

konnte gerade noch ausweichen. Er wollte schon
loslegen, als eine Stimme von draußen ertönte:
„Funkula, wo bleibst du denn? Wir müssen noch die
Pasteten füllen! Komm schon, mir nach!"
Funkula lachte und stand auf. „Was für eine
Aufregung! Aber morgen musst du es uns ja sowieso
verraten."
„Ja-a", antwortete Garibaldi und brachte ein schiefes
Lächeln zustande. Hätte ich doch bloß früher was
gesagt, dachte er. Das gibt Ärger. Jede Menge Ärger.
Er überlegte noch ein wenig an seinem Problem
herum. Doch dann fiel ihm ein neues Gedicht ein, das
er sofort aufschreiben musste. Das war schließlich
wichtiger.
Am nächsten Morgen war es dann so weit. Garibaldi
bekam von seinem Vater eine eigene Höhle geschenkt.
Jeder Drache bekommt nämlich zu seinem einhundertundelften Geburtstag eine eigene Höhle. Garibaldi
freute sich riesig. Er wollte gleich drinbleiben und mit
dem Dichten anfangen. Aber daran war nicht zu
denken. Erst quetschte sich nämlich die eine Hälfte
seiner Verwandtschaft mit einem Riesenradau in die
Höhle, um ihm zum Geburtstag zu gratulieren. Und
als alle wieder draußen waren, quetschte sich die

andere Hälfte hinein und machte dasselbe. Danach tat
Garibaldi erst einmal die Tatze weh von dem vielen
Geschüttel. Und an Dichten war nicht mehr zu
denken.

„Mach dich fertig, mein Sohn", rief Vater Dragomir
mit seiner tiefen Drachenstimme. „Wir wollen mit der
Feier beginnen."

Mulmig, sehr mulmig fühlte sich Garibaldi, als er in
die festlich geschmückte Höhle seiner Eltern trat. Die
ganze Verwandtschaft klatschte begeistert. Nur einer
seiner jüngeren Cousins zeigte ihm eine lange Nase.
Ach, wie sehr wünschte sich Garibaldi, an der Stelle
des Cousins zu sein.

Da schlug Dragomir ein Mal heftig mit seinem
Drachenschwanz auf den Höhlenboden. Als niemand
reagierte, spuckte er einen mittelgroßen Feuerball in
die Mitte der Verwandtschaft.

Sofort war Ruhe. Dragomir räusperte sich. Er war
kein guter Redner, doch seine Frau Funkula lächelte
ihm aufmunternd zu.

„Garibaldi", fing er an, dann verbesserte er sich.
„Mein lieber Sohn. Vor einhundertundelf Jahren bist du
zu unserer großen Freude auf die Welt gekommen.
Punkt neun Uhr morgens war es. Du hast das Licht

dieser Drachenhöhle erblickt – und deiner Mutter zur Begrüßung auf das Bett gepinkelt."

Dragomir und die ganze Verwandtschaft fanden das sehr komisch. Sie lachten sich schief und krumm, doch Garibaldi hätte sich am liebsten in Luft aufgelöst. Nicht genug, dass er sich diese Geschichte zu jedem Geburtstag anhören musste. Jetzt erzählte sein Vater sie auch noch vor der gesamten Verwandtschaft!

Der kleine Cousin, der Garibaldi vorhin eine lange Nase gezeigt hatte, wieherte vor Lachen. Garibaldi sah sich gezwungen, ihm mit einem gezielten Feuerball ein wenig Dampf zu machen.

Dragomir konnte manchmal schrecklich dramatisch sein. So auch jetzt, als er in seiner Ansprache fortfuhr: „Einhundertundelf ist eine ganz besondere Zahl. Wir alle wissen, jeder Drache weiß, dass diese Zahl sein Leben verändern wird. Dass es ab heute nie mehr so sein wird wie früher, als du noch ein kleiner Drache warst. Ab heute bist du ein großer Drache. Und weißt du, was die erste Tat eines großen Drachen ist?"

Alle Blicke ruhten jetzt
erwartungsvoll auf Garibaldi.
Der schnappte sich vor lauter
Verlegenheit einen ganzen
Schokoladenkuchen vom
Büfett und stopfte ihn in
den Mund.

„Hmpf", machte er hilflos. Doch
Dragomir gab sich die Antwort selbst:
„Man klaut eine Prinzessin. Das ist eine uralte
Drachentradition und wir Drachen sind stolz darauf.
Ungebrochen ist diese Tradition bis heute von Drache
zu Drache weitergegeben worden. Jeder Drache hat
sich dieser Herausforderung drachenhaft gestellt. Jetzt
ist es an dir, mein Sohn, dich in die Reihe erfolgreicher
Prinzessinnenklauer zu stellen."
Gerührt schwieg die gesamte Verwandtschaft und
Mama Funkula rollte eine dicke Träne über die
Wangen. Einhundertundelf Jahre hatte sie einen
kleinen Drachen gehabt. Und jetzt, von einem
Moment auf den anderen, sollte sie einen großen
haben? Daran musste sie sich erst gewöhnen.
„Hoch lebe unser großer Garibaldi", rief sie mit
wackliger Stimme, um nicht in Rührung zu versinken.

29

„Hoch lebe unser Garibaldi", riefen auch alle
Drachentanten und Onkel, Cousins, Cousinen und
Großtanten. „Hoch lebe unser Garibaldi, auf dass er
eine besonders schöne Prinzessin klaut."
Und jetzt war Garibaldi an der Reihe. Alle sahen ihn
erwartungsvoll an. Funkula deutete auf ihren linken
Mundwinkel. Damit wollte sie ihm zeigen, dass dort
bei ihm noch ein Rest Schokolade hing. Aber Garibaldi
bemerkte es nicht.
Sein Herz klopfte, seine Knie zitterten und sein
Schwanz fegte von einer Seite auf die andere. Wusch,
wusch, wusch.
Er schloss die Augen und wünschte sich dorthin, wo
der Pfeffer wächst. Oder irgendwo anders hin, Haupt-
sache weit, weit weg. Doch als er die Augen wieder
aufmachte, starrte er immer noch auf seine gespannte
Verwandtschaft.
„Welche Prinzessin wirst du klauen?", piepste eine
kleine Cousine. Damit sprach sie aus, was alle dachten.
Da streckte sich Garibaldi und drückte seine Knie
ganz fest durch, damit sie nicht mehr zitterten. Er
holte tief Luft und sagte mit krächzender Stimme:
„Ich will keine Prinzessin klauen."

So war das alles nicht geplant!

In der Höhle war es still. Man konnte das Schmatzen
einer Fliege hören, die sich gerade auf dem Mohnkuchen niedergelassen hatte.
Die ganze Verwandtschaft hielt die Luft an und alle
bekamen einen roten Kopf. Funkula fiel die Kuchengabel mit einem Klirren aus der Hand. Dragomir
verschluckte sich an seiner Tasse Drachenkaffee Gold
und musste furchtbar husten.
Garibaldi hätte nichts lieber getan, als mit der Fliege
zu tauschen, obwohl er Mohnkuchen überhaupt nicht
mochte. Aber die Fliege dachte nicht daran, seinen
Platz einzunehmen. Sie schmatzte ungerührt weiter.
„WAS hast du gesagt?", fragte Dragomir, nachdem er
sich von seinem Hustenanfall erholt hatte. Dabei hielt
er die Hand an sein Drachenohr. „Ich habe mich ja
wohl verhört."

Garibaldi suchte nach einem Loch im Boden, durch das er verschwinden konnte. Er fand keines.

„Ähm, ich habe gesagt, dass ... dass ... dass ich keine Prinzessin klauen will." Und etwas mutiger geworden, fügte er hinzu: „Ich will in meiner Höhle sitzen, Gedichte schreiben und Kekse essen."

„Aber das geht doch nicht!", rief Funkula voller Verzweiflung und stach ihre neue Kuchengabel versehentlich in eine Drachentantentatze statt in ein Stück Kuchen.

„Papperlapapp", rief Tante Dragunda mit einer Stimme, die keinen Widerspruch duldete. „So etwas gibt es nicht. Alle Drachen vor dir haben eine Prinzessin geklaut. Das ist Drachentradition. Basta."

Funkula und Dragomir nickten bestätigend und alle Tanten und Onkel und die restliche Verwandtschaft taten es ihnen nach. Bei so viel nickendem Einverständnis erwachte Garibaldis Trotz.

„Das mag schon sein", sagte er deshalb plötzlich mit festerer Stimme. „Aber ich mag Prinzessinnen-Klauen eben nicht. Ich esse lieber Kekse und schreibe Gedichte."

Und mit diesen Worten schnappte er sich noch einen Kuchen und verdrückte sich schnell in seine Höhle.

Aufregung ist gar kein Wort für das, was nach Garibaldis Abgang los war! Riesenaufregung, Chaos, Katastrophenalarm – Tanten wurden ohnmächtig und mussten mit Lavendel wiederbelebt werden. Onkel stopften wahllos Kuchen und belegte Brötchen in sich hinein, bis ihnen schlecht wurde. Keiner wusste, was er tun sollte. So etwas hatte es einfach noch nie gegeben. Ein Drache, der keine Prinzessin klauen wollte, war ein völlig undenkbarer Gedanke gewesen. Bis jetzt.

Funkula und Dragomir starrten sich wortlos an. Sie merkten gar nicht, dass sie sich dabei gegenseitig die Drachenohren kraulten. Wie sollte es jetzt weiter-gehen?

Garibaldi saß unterdessen in seiner Höhle und bedichtete den Sonnenuntergang. Er war froh. Endlich hatte er gesagt, was ihm schon seit Monaten auf dem Herzen gelegen hatte!

Die kriegen sich schon wieder ein, dachte er bei sich, schließlich ist es mein Leben.

Doch was macht eigentlich die Prinzessin?

Die ist in der Zwischenzeit mehrmals aufgewacht und wieder eingeschlafen. Und mit jedem Tag ist sie ungeduldiger geworden.

„Wo zum Rattenschiss bleibt dieser blöde Drache?", fragte sie sich jeden Morgen.

Die einhundert Soldaten, die sie sogar auf dem Prinzessinnenklo nicht aus dem Auge ließen, gingen ihr jeden Tag mehr auf die Nerven. Sie versuchte sich vor ihnen zu verstecken, doch einer fand sie immer und rief die anderen neunundneunzig gleich hinzu.

„Es ist zu deinem Besten", versuchte ihr königlicher Vater sie zu beruhigen. „Sie beschützen dich vor dem schrecklichen Drachen, der dich klauen will."

„Aber er kommt ja nicht", rief Prinzessin Ludmilla
verzweifelt.

„Das ist bestimmt ein Trick", vermutete König
Friedbart. „Er will uns in Sicherheit wiegen und erst
dann zuschlagen, wenn wir es am wenigsten
erwarten."

Prinzessin Ludmilla seufzte ergeben und wartete
weiter auf den Drachen. Die einhundert Soldaten und
ihre Zofe hatte sie dabei ständig im Schlepptau.

Da erfuhren der König und die Königin, was mit dem
Drachen los war.

Ein Brief war gekommen, in dem stand:

Sehr geehrte Königin, sehr geehrter König,

leider müssen wir Ihnen mitteilen, dass unser Sohn,
der Drache Garibaldi Feuerstuhl, nicht daran denkt,
Ihre Tochter zu klauen. Er hat andere Pläne.

Mit freundlichen Drachengrüßen,

Dragomir Feuerstuhl

„Das gibt es doch gar nicht!", rief König Friedbart
aufgebracht. „So etwas hat es doch noch nie gegeben!

Ist diesem dämlichen Drachen meine Tochter etwa nicht gut genug?"

Königin Gertrude jammerte: „Oje, oje, oje!", und stapelte einen Haufen verheulter und nass geschnäuzter Taschentücher neben sich. „Was für eine Schmach, was für eine entsetzliche Schmach!"

Prinzessin Ludmilla war sprachlos und fühlte sich schrecklich gedemütigt.

Nur die einhundert Soldaten waren froh, dass die ewige Prinzessinnenbewachung endlich ein Ende hatte. Zu hundert auf dem Boden vor dem Prinzessinnenbett zu liegen und die Prinzessin zu bewachen, war nicht gerade der Traum eines richtigen Soldaten.

König Friedbart lief dreimal um das ganze Schloss. Dann erst hatte er sich halbwegs beruhigt und hatte sogar eine Idee. Er setzte sich auf seinen königlichen Thron und ließ seine Frau und Prinzessin Ludmilla zu sich rufen.

„Wir dürfen uns dieses Verhalten nicht gefallen lassen", sprach er mit majestätischem Zorn in der Stimme. „Jeder anständige Drache klaut eine

Prinzessin. Und jede anständige Prinzessin muss von einem Drachen geklaut werden, um dann von einem Prinzen gerettet zu werden. Den heiratet sie dann. Ohne Klau kein Prinz. So ist das. Und so muss es auch bleiben."

„Aber so ist es nun mal nicht", sagte Prinzessin Ludmilla etwas genervt.

„Deswegen, mein Kind, habe ich auch eine ebenso einfache wie brillante Idee", verkündete König Friedbart stolz. Er legte eine kleine Pause ein, um seinen Worten mehr Gewicht zu verleihen.

Königin Gertrude und Prinzessin Ludmilla blickten ihn erwartungsvoll an.

„Du wirst selbst zu den Drachen gehen."

Auch hier legte der König wieder eine kunstvolle Pause ein. Als Prinzessin Ludmilla gerade nach Luft schnappte und etwas sagen wollte, fuhr er fort: „Du wirst eine Woche bei ihm bleiben. Das ist gerade die richtige Zeit, damit der Prinz sich auf deine Befreiung vorbereiten kann. Er kommt angeritten, erledigt den

Drachen und führt dich nach Hause. Ihr werdet heiraten und glücklich leben bis an euer Ende."
König Friedbart strahlte vor Stolz auf seine brillante Idee und Königin Gertrude floss eine Träne über die weiße Wange.
„Das hast du schön gesagt, Friedbart", flüsterte sie gerührt.
Prinzessin Ludmilla war weniger begeistert.
„Ich werde mich doch nicht aufdrängen", sagte sie und warf stolz ihren Kopf zurück. „Wenn er mich nicht will – dann eben nicht. Und außerdem will ich überhaupt nicht von einem Prinzen befreit werden. Ich will keinen Prinzen heiraten."
Dann raffte sie ihre Röcke und rauschte davon. Die Zofe hatte vor der Tür gelauscht und folgte ihr.

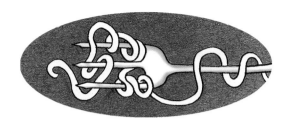

Spaghetti saugen und Polka tanzen

Erst war die Prinzessin furchtbar sauer auf ihren Vater
und seine dumme Idee. Doch dann dachte sie nach.
Blieb ihr denn eine andere Wahl? Dieses Prinzessinnenleben und die spitznasige Zofe gingen ihr
schrecklich auf die Nerven. Alles, überlegte sie, alles
ist besser, als in diesem verratzten Schloss mit den
fünfhundertachtunddreißig Zimmern zu sitzen. Aber
was mache ich mit dem Prinzen, der mich befreien
soll? Ach was, das wird schon, beruhigte sie sich.
„Ich werde morgen zu dem Drachen gehen",
verkündete sie der Zofe.
Der fiel beinahe die Bürste aus der Hand, mit der sie
gerade Ludmillas blondes Haar frisierte.
„Das ist nicht Euer Ernst", rief sie entsetzt.
„Das ist mein voller Ernst", antwortete die Prinzessin
und jetzt wollte sie es erst recht.

Am nächsten Tag umarmte der König seine Tochter. Dann ließ er einen großen Korb mit Essen und Geschenken für den Drachen herrichten und drückte ihn Prinzessin Ludmilla in die Hand.

„Ich bin sehr stolz auf dich" sagte er. „Und eine Woche geht schnell vorbei. Ich habe auch schon mit den Eltern von Prinz Rolle gesprochen. Sie kümmern sich darum, dass der Prinz dich rechtzeitig befreien kommt."

Prinz Rolle, dachte die Prinzessin, kenn ich nicht. Und sie entschloss sich, seinen Namen gleich wieder zu vergessen. Heiraten wollte sie ihn sowieso nicht, aber das sagte sie ihren königlichen Eltern erst einmal nicht.

Dann marschierte sie los.

Garibaldi saß vor seiner Höhle, aß Kekse und dichtete. Seit ein paar Tagen ließen ihn seine Eltern und Verwandten endlich in Ruhe und kamen nicht mehr alle fünf Minuten, um ihn von den Vorzügen des Prinzessinnen-Klauens zu überzeugen. Garibaldi hoffte, dass sie sich mit den Tatsachen abgefunden hatten.

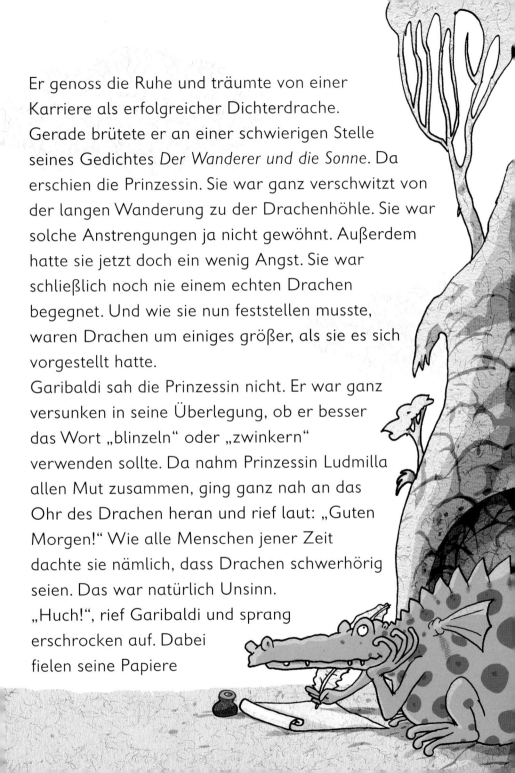

Er genoss die Ruhe und träumte von einer
Karriere als erfolgreicher Dichterdrache.
Gerade brütete er an einer schwierigen Stelle
seines Gedichtes *Der Wanderer und die Sonne*. Da
erschien die Prinzessin. Sie war ganz verschwitzt von
der langen Wanderung zu der Drachenhöhle. Sie war
solche Anstrengungen ja nicht gewöhnt. Außerdem
hatte sie jetzt doch ein wenig Angst. Sie war
schließlich noch nie einem echten Drachen
begegnet. Und wie sie nun feststellen musste,
waren Drachen um einiges größer, als sie es sich
vorgestellt hatte.
Garibaldi sah die Prinzessin nicht. Er war ganz
versunken in seine Überlegung, ob er besser
das Wort „blinzeln" oder „zwinkern"
verwenden sollte. Da nahm Prinzessin Ludmilla
allen Mut zusammen, ging ganz nah an das
Ohr des Drachen heran und rief laut: „Guten
Morgen!" Wie alle Menschen jener Zeit
dachte sie nämlich, dass Drachen schwerhörig
seien. Das war natürlich Unsinn.
„Huch!", rief Garibaldi und sprang
erschrocken auf. Dabei
fielen seine Papiere

durcheinander. Versehentlich entwich ihm wieder ein kleiner Feuerstrahl, der haarscharf an Prinzessin Ludmillas kunstvoll aufgestecktem Haar vorbeipfiff.

„Hey!", rief die Prinzessin ganz empört, denn bei ihrem schönen blonden Haar verstand sie keinen Spaß. „Was ist das denn für ein Benehmen?"

„'tschuldigung", murmelte Garibaldi. Ihm war das immer etwas peinlich mit dem Feuerspucken. „Aber du hast mich ganz schön erschreckt. Mir so ins Ohr zu brüllen. Ich bin doch nicht schwerhörig."

Das war nun wieder der Prinzessin peinlich. Um von der etwas unglücklichen Begrüßung abzulenken, sagte sie: „Ich hab was zu essen mitgebracht."

„Kekse?", fragte Garibaldi erfreut.

„Kekse und ganz viel andere leckere Sachen", antwortete die Prinzessin. „Wo soll ich sie auspacken?"

„Am besten in meiner Höhle", meinte Garibaldi. „Ich muss noch ein bisschen an meinem Gedicht schreiben."

Die Prinzessin war sehr beeindruckt, dass ein Drache Gedichte schrieb.

Weil sie Garibaldi nicht stören wollte, ging sie leise in die Höhle. Dort packte sie den Korb aus und fing an, Spaghetti zu kochen.

Kochen durfte sie in ihrem Königreich nie. Das sei einer Prinzessin
nicht würdig, hieß es immer. Gerade
deswegen wollte sie es jetzt unbedingt
ausprobieren. Und sie stellte fest, dass es
ihr einen Riesenspaß machte. Voller Stolz
mischte sie die Tomatensoße unter die nur
ganz leicht pappigen Spaghetti.

„Was riecht denn hier so gut?", fragte Garibaldi
schnuppernd. Der leckere Duft wehte ihm um die
Nase.

„Spaghetti mit Tomatensoße", sagte Prinzessin
Ludmilla und schleppte eine riesige Drachenschüssel
vor die Höhle. „Du musst sie auf die Gabel wickeln",
erklärte sie Garibaldi.

Das versuchte er auch, aber es klappte nicht und so
sog er die Nudeln einfach ins Maul wie ein Staubsauger. Das fand die Prinzessin sehr lustig.

Bald hingen beide wie zwei Staubsauger über der Schüssel und sogen um die Wette Spaghetti ein, bis sie nicht mehr papp sagen konnten.

„Das hat Spaß gemacht", ächzte Garibaldi und strich sich über seinen dicken Spaghettibauch. „Ich heiße übrigens Garibaldi."

„Und ich bin Prinzessin Ludmilla. Das war mein erstes selbst gekochtes Essen. Du hättest mich übrigens klauen sollen."

Garibaldi nickte. „Deswegen hatte ich ganz schön Ärger. Ich habe aber keine Lust, Prinzessinnen zu klauen, nur weil alle anderen Drachen vor mir es auch gemacht haben. Ich schreib lieber Gedichte."

Prinzessin Ludmilla nickte trotzig. „Ich habe zum Rattenschiss auch nie Lust, Prinzessin zu sein und das zu tun, was alle Prinzessinnen vor mir getan haben. Mir gefällt es viel besser hier bei dir in deiner Höhle."

Garibaldi war geschmeichelt. „Soll ich dir mein neues Gedicht *Der Wanderer und die Sonne* vorlesen?", fragte er. Dabei wurde er ein ganz klein wenig rot.

Die Prinzessin nickte. Garibaldi räusperte sich lange, bevor er loslegte:

Ich ging einst Richtung Horizont,
wo sich die gelbe Sonne sonnt.
Der Weg war lang und immer länger,
die Sonne sang und immer senger.
Als endlich ich mein Ziel errich
Da sagte ich:
O Sonne, sprich,
ich habe doch so viele Fragen
und außerdem 'nen leeren Magen.
Die Sonne blinzelte mir zu
und fragte frech: „Wer bist denn du?
Treib's nicht zu bunt, du junger Spunter,
es tut mir leid, ich geh jetzt unter."

Der Prinzessin gefiel Garibaldis Gedicht ausge-
sprochen gut. Gerade das Wort „blinzeln" fand sie
besonders schön und passend.
Noch lange saßen die beiden vor der Höhle unter den
Sternen und sprachen über Garibaldis Gedichte.
Als Prinzessin Ludmilla anfing zu gähnen, sammelte
Garibaldi rasch ein paar Blätter und Äste und baute
ihr daraus in der Höhle ein weiches Bett.
Die Prinzessin fand das sehr aufregend. Schließlich
hatte sie bis jetzt immer in ihrem goldenen Prinzessin-

nenbett geschlafen. Sie kuschelte sich ganz tief in das duftende Grün und schlief sofort ein.

Garibaldi legte sich quer vor den Eingang. Er wollte sie vor den wilden Tieren beschützen, die nachts immer ihr Unwesen trieben.

So schliefen sie bis zum anderen Morgen.

„Eine Prinzessin, eine Prinzessin ist da, er hat doch eine geklaut, wie wunderbar, wie wunderbar!"

Mit diesem entzückten Ruf wurden die beiden geweckt.

Prinzessin Ludmilla setzte sich mit verwuschelten Haaren erschrocken in ihrem Blätterlager auf. Und Garibaldi erhob sich so schnell, dass er sich am Höhleneingang den Kopf anstieß.

„Aua", jammerte er und rieb sich die wachsende Beule. „Was ist denn los?"

Dann erst sah er seine Eltern und einen Teil seiner Verwandtschaft vor dem Höhleneingang stehen. Alle hatten ganz glückliche Gesichter.

„Ich bin so stolz auf dich, mein Sohn", brummte Dragomir und Funkula strahlte von einem Drachenohr zum andern.

„Aber, aber ich hab doch ... hmpf" – die Prinzessin gar nicht geklaut, wollte Dragomir sagen. Doch er kam nicht dazu, weil ihm die Prinzessin mit beiden Händen das Drachenmaul zuhielt.

„Er wollte sagen, dass er es sich anders überlegt hat und mich jetzt doch geklaut hat. Und ich hatte schreckliche Angst vor ihm."

Zur Bestärkung ihrer Worte zitterte die

Prinzessin kräftig und Garibaldi schnaubte ein Furcht einflößendes, aber nicht allzu großes Feuer in ihre Richtung.

„Sie müssen ja nicht alles so genau wissen", flüsterte ihm Prinzessin Ludmilla ins Ohr und Garibaldi nickte. Jetzt waren alle rundherum zufrieden und glücklich: Prinzessin Ludmilla, weil sie nicht mehr im Schloss wohnte; Garibaldi, weil er weiter seine Gedichte schreiben konnte; und seine Eltern und Verwandten, weil er jetzt doch eine Prinzessin hatte. Deshalb feierten sie ein großes Fest.

Und keiner wunderte sich, dass die Prinzessin kein einziges Mal mehr zitterte oder weinte und schrie. Vielmehr feierte sie lustig mit und tanzte sogar mit Garibaldi Polka.

Achtung, verbeulter Ritter!

So lustig und sorglos könnte die Geschichte eigentlich enden, wenn, ja wenn es da nicht den Prinzen gäbe. Prinz Rolle wohnte im Königreich überm Teich, nicht weit vom Königreich Steinreich, der Heimat der Prinzessin. Sein großer Traum war es, einmal Entdecker zu werden, so wie Christoph Kolumbus. Stundenlang saß er vor seinem großen Leuchtglobus und reiste mit dem Finger um die Welt. Oder er erforschte die königlichen Wälder und Wiesen. Dabei hoffte er, etwas ganz Außergewöhnliches zu entdecken.

Leider passierte das nie. Dafür kam er am Abend immer ganz dreckig zurück ins Schloss. Sehr zum Leidwesen der königlichen Wäscherinnen. Denn sie waren fast ausschließlich damit beschäftigt, Prinz Rolles Kleidung wieder sauber zu machen.

Die Eltern, König Jasper und Königin Hiltrude, waren von den beruflichen Plänen ihres Sohnes nicht sehr erbaut.

„Der soll gefälligst tun, was alle anständigen Prinzen tun", brummte König Jasper.

Und Königin Hiltrude meinte kopfschüttelnd: „Zu unserer Zeit hätte es das nicht gegeben."

Dann kam König Friedbart zu ihnen. Er fragte an, ob Prinz Rolle bereit wäre, die Prinzessin aus den Fängen des gefährlichen Drachen zu befreien und anschließend zu heiraten. König Jasper und Königin Hiltrude waren sofort begeistert.

Eine Prinzessin befreien war genau das Richtige, um ihren Sohn auf andere Gedanken zu bringen.

„Absolut keine Lust", meinte Prinz Rolle dazu. „Ich will die Prinzessin nicht befreien."

„Ob du Lust hast oder nicht, spielt hier überhaupt keine Rolle", tobte König Jasper. „Es gibt Dinge, die tut man eben. Und dazu gehört das Prinzessinnen-Befreien."

Prinz Rolle fuhr ungerührt mit dem Finger über seinen Leuchtglobus. „Ich will Entdecker werden und nicht Prinzessinnen-Befreier."

„Aber auf dem Weg zu der Drachenhöhle könntest du doch einiges entdecken", bemerkte Königin Hiltrude schlau. „Dann kannst du beides sein, Entdecker und Prinzessinnen-Befreier."

„Hm." Prinz Rolles Finger blieb mitten in Sibirien stehen. Das stimmte auch wieder.

„Na gut", meinte er zögernd, „ich befrei sie. Aber heiraten will ich nicht. Ein Entdecker muss frei sein."

„Du wirst gefälligst ...", tobte König Jasper wieder los, doch Königin Hiltrude unterbrach ihn.

„Ja, ja, das werden wir schon hinkriegen", sagte sie einlenkend.

Sie glaubte nämlich, dass die beiden sich ineinander verlieben und Prinz Rolle daraufhin seine Entdeckerpläne sofort vergessen würde.

Am nächsten Morgen ritt Prinz Rolle los. In seiner
Rüstung sah er aus wie eine Konservendose, die in der
Sonne funkelte. Ihm war schrecklich heiß auf dem
langen Weg. Und außer ein paar ausgeblichenen
Knochen und einem vergammeltem Hemd, das irgend-
jemand liegen gelassen hatte, entdeckte er überhaupt
nichts. Manchmal verirrte er sich, aber selbst dann
entdeckte er nichts, was nicht schon entdeckt worden
war.

Der Prinz überlegte gerade, ob er das Prinzessinnen-
Befreien sein lassen und zurückreiten sollte. Da sah er
plötzlich Garibaldi vor seiner Höhle sitzen.

Ganz schön groß, dachte Prinz Rolle. Er hatte noch nie
einen Drachen gesehen. Schnell setzte er sich in
Position, nahm seinen Speer fest in die Hand, rief:
„Hüa!", und ritt direkt auf die Höhle zu.

Garibaldi bemerkte ihn gar nicht, so vertieft war er in
seine Gedichte.

„Ich komme, die Prinzessin zu befreien", schrie Prinz
Rolle dem Drachen ins Ohr und wedelte gefährlich
mit seinem Speer.

„Huch!", rief Garibaldi und hüpfte erschrocken zur
Seite. Dabei wedelte er den Prinzen versehentlich mit
seinem Schwanz vom Pferd.

Prinzessin Ludmilla war gerade dabei, rosafarbene Schokoladenkekse zu backen, als sie den Lärm vor der Höhle hörte und herauskam.

„Uups, verratzt und zugenäht, den Prinzen habe ich ja völlig vergessen", rief sie und wedelte ärgerlich mit ihren verklebten Teigfingern. So was Dummes aber auch: Sie hatte sich mittlerweile prima an das Höhlenleben gewöhnt. Es war herrlich, endlich keine Prinzessinnenkleider mehr tragen zu müssen. Stattdessen besaß sie jetzt Kleider aus gegerbter, herrlich grün schillernder Drachenhaut. Sie wusch sich ganz allein und gähnte so oft und so lange es ihr passte.

Außerdem hatte sie angefangen, die Berge des Drachengebirges zu besteigen. Sport treiben hatte sie früher ja auch nicht gedurft. Mittlerweile war sie so fit, dass sie überhaupt nicht mehr außer Atem kam. Sogar den Mount Drachmore hatte sie schon bestiegen. Das war der höchste Berg im Drachengebirge. Und es machte ihr derart viel Spaß, dass sie sich vornahm, nach und nach das gesamte Drachengebirge zu erkunden. Diese Pläne wollte sie auf keinen Fall wegen eines Prinzen aufgeben. Zudem kannte sie ihn nicht einmal.

An ihr Prinzessinnenleben hatte sie schon lange nicht mehr gedacht. Bis jetzt.

Prinz Rolle rappelte sich mühsam wieder auf die Beine. Seine Blechrüstung war ziemlich verbeult und sah aus wie eine zerdrückte Coladose.

„'tschuldigung", murmelte Garibaldi verlegen. „Aber warum müsst ihr mir alle so ins Ohr brüllen?"

„Drachen sind nicht schwerhörig", klärte Prinzessin Ludmilla den verdutzten Prinzen auf. Dann meinte sie: „Kommt erst mal rein. Es gibt Drachenbeeren mit Schlagsahne und rosafarbene Schokokekse."

Und so kam es, dass die Prinzessin, der Drache und der verbeulte Prinz gemeinsam in der Drachenhöhle saßen. Sie aßen Drachenbeeren und eine Riesen-schüssel voll Schlagsahne. Als Nachtisch gab es die rosafarbenen Schokoladenkekse. Der Prinz war davon derart begeistert, dass er siebzehneinhalb Stück aß. Danach erzählte er, dass seine Eltern ihn überredet hätten, die Prinzessin zu befreien. Denn so hätten es alle Prinzen vor ihm getan.

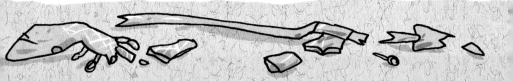

„Ich habe aber gar keine Lust dazu. Ich will viel lieber Entdecker werden wie Christoph Kolumbus."

Da seufzte die Prinzessin erleichtert auf.

„Bin ich aber froh! Ich will nämlich gar nicht befreit werden. Und Prinzessin sein will ich noch weniger. Am liebsten würde ich hier bei dem Drachen in der Drachenhöhle bleiben. Da kann ich in der Sonne liegen, auf Berge steigen, Garibaldis Gedichte lesen und in Ruhe aufs Klo gehen. Und selber kochen und backen darf ich auch. Ich bleib hier. Das heißt, wenn ich darf." Sie warf einen fragenden Blick auf Garibaldi.

„Ja, ja, natürlich", stotterte Garibaldi. Er war heilfroh, dass die Prinzessin bleiben wollte. Es machte ihm nämlich viel mehr Spaß, seine Gedichte jemand anderem als sich selber vorzulesen. Und außerdem war es schön, nicht allein zu sein.

„Prima", rief die Prinzessin. „Dann ist ja alles klar."

„Für uns schon. Aber wie sagen wir es unseren Eltern?", fragte der Prinz zaghaft.

Gute Frage. Da musste auch die sonst sehr kluge und praktische Prinzessin eine ganze Weile überlegen. Dann hatte sie die rettende Idee.

„Ich werde ihnen schreiben, dass ich keine Lust habe, dich zu heiraten", antwortete sie schließlich dem

Prinzen. „Sie werden erst mal sauer sein, aber nicht lange. Sie sind ja schon einiges von mir gewöhnt. Und du gehst einfach auf Entdeckungsreise. Wenn du etwas entdeckt hast, schickst du deinen Eltern eine Postkarte. Dann werden sie schrecklich stolz auf dich sein und das mit dem Prinzessinnen-Befreien ganz schnell vergessen."

Das leuchtete dem Prinzen ein. „Aber wo kann ich was entdecken?", fragte er.

Da wusste nun Garibaldi Rat.

„Ich kann dich in eine Gegend bringen, wo es jede Menge zu entdecken gibt. Eigentlich ist die ganze Gegend noch nicht entdeckt. Ich bin nur mal zufällig drübergeflogen", sagte er stolz darauf, auch ein Problem lösen zu können. Es tat ihm immer noch leid, dass er den Prinzen so einfach von seinem Pferd gefegt hatte. Glücklicherweise konnte er das jetzt wiedergutmachen.

„Na wunderbar", rief die Prinzessin und nahm sich den letzten Schokoladenkeks. „Zu dritt findet sich für alles eine Lösung."

Ein wunderbar herrlicher Abend

Am nächsten Tag machte sich jeder von den dreien ein
Proviantpäckchen mit Drachenbeermarmeladen-
broten, Orangensaft und vielen bunten Keksen.
Dann setzten sich die Prinzessin und der Prinz auf den
Drachenrücken. Gemeinsam flogen sie in die Gegend,
die noch nicht entdeckt worden war.
Dort setzten sie den Prinzen ab. Der war gleich ganz
begeistert von den vielen unentdeckten Dingen, die
nur auf ihn gewartet hatten.
Noch bevor Garibaldi und Prinzessin Ludmilla wieder
abflogen, hatte er schon einen See und zwei Berge
entdeckt. Er steckte eine grüne Fahne mit der
silbernen Aufschrift *Entdeckt von Prinz Rolle vom Königreich über'm Teich* in den Boden und war mächtig stolz.

Bald wurde Prinz Rolle ein berühmter Entdecker und

alle Könige und Königinnen wollten ihn unbedingt an ihren Hof einladen.

Jede Woche schickte er Postkarten an die Prinzessin, an Garibaldi und an seine Eltern. Darauf berichtete er ihnen von seinen neuesten Entdeckungen.

Und wie Prinzessin Ludmilla vorausgesagt hatte, waren seine Eltern sehr stolz auf ihn. Sie dachten gar nicht mehr daran, dass er die Prinzessin nicht befreit hatte.

König Friedbart und Königin Gertrude dagegen waren anfangs ziemlich sauer auf ihre Tochter. Es war genau so, wie Prinzessin Ludmilla es vermutet hatte. Dann fragten sie sich, was sie bei der Erziehung falsch gemacht hatten. Und schließlich beruhigten sie sich.

Immerhin konnten sie ja alles auf den Prinzen schieben. Der hatte ihre Prinzessin schließlich nicht befreit.

Prinzessin Ludmilla kümmerte das nicht. Sie und Garibaldi lebten glücklich und zufrieden in ihrer Höhle und taten immer nur das, was ihnen am meisten Spaß machte.

„Deine Gedichte sind so schön", sagte die Prinzessin eines Tages zu dem Drachen. „Du solltest sie anderen Menschen vorlesen."

Garibaldi nickte. Daran hatte er auch schon gedacht. Aber wer wollte schon in eine Drachenhöhle kommen? Und wer außer Drachen wollte Drachengedichte hören?

„Ich zum Beispiel", sagte die Prinzessin und überlegte. „Lass mich nur machen."

Und Garibaldi ließ sie. Wie immer. Er wusste nämlich mittlerweile, dass die Prinzessin stets die besten Ideen hatte.

Am nächsten Tag schrieb Prinzessin Ludmilla mit ihrem goldenen Prinzessinnenstift sechs Einladungen auf weißes Papier. Die verschickte sie an ihre Eltern und an die von Prinz Rolle und Garibaldi.

Als die Eltern die Einladung bekamen, waren sie alle sehr erstaunt: Die Eltern von Prinzessin Ludmilla und Prinz Rolle, weil sie noch nie in eine Drachenhöhle eingeladen worden waren. Und Garibaldis Eltern, weil sie noch nie von einer Prinzessin eingeladen worden waren. Doch alle waren sehr neugierig und sagten zu.

Drei Tage bevor die Gäste kamen, begann Prinzessin Ludmilla zu kochen und zu backen, dass die Höhle nur so qualmte. Garibaldi half ihr dabei. Es sollte Spaghetti, hellblaue und rosafarbene Schokokekse, Eierkuchen und Sahnekuchen, Würstchen, Drachenbeereis mit Himbeersoße und sieben verschiedenfarbige Puddings geben. Das hatte Prinzessin Ludmilla sich alles selbst ausgedacht.

Endlich war es so weit. Die beiden Könige und Königinnen rollten heran in ihren goldenen Kutschen und blickten sich neugierig um. Auch die Zofe war dabei. Sie streckte ihre spitze Nase so weit aus dem Kutschenfenster, dass sie prompt in einem Drachen-beerbusch hängen blieb und erst einmal befreit werden musste.

Funkula und Dragomir stapften heran. Sie hatten sich extra fein gemacht. Funkula schärfte ihrem Mann ein, ja nicht aus Versehen ein kleines Feuer zu spucken. Menschen seien da sehr empfindlich. Besonders Könige.

„Guten Abend", brüllte König Friedbart den beiden Drachen entgegen. Er wollte besonders höflich sein, doch Dragomir und Funkula wichen erschrocken zurück.

„Drachen sind nicht schwerhörig. Das glauben die Menschen nur", sagte Prinzessin Ludmilla geduldig. Garibaldi musste ein bisschen kichern.

„Macht nichts", sagte Funkula und lächelte. „Wir werden uns ja nun besser kennenlernen."

„Bitte hinsetzen", rief Prinzessin Ludmilla, die zur Feier ihr bestes Kleid angezogen hatte.

Alle setzten sich an den voll beladenen Tisch. Nur die Zofe fiel mit ihrer Nase direkt in den lilablassblauen Pudding. Sie war nämlich über Garibaldis Drachenschwanz gestolpert.

Erst war sie sauer, weil Garibaldis Schwanz im Weg herumlag. Aber weil alle lachten, blieb ihr nach einer Weile nichts anderes übrig, als einfach mitzulachen.

Das Essen war ein voller Erfolg. Jeder aß seinen Teller leer, bis auf den allerhinterletzten Krümel, so gut schmeckte es.

Dann kam Garibaldi an die Reihe. Er war schrecklich nervös und ließ seine gesammelten Gedichte drei Mal auf den Boden fallen. Prinzessin Ludmilla half ihm aber immer wieder beim Aufsammeln und machte ihm Mut.

„Das wird schon", sagte sie.

Und dann las Garibaldi.

Er las seine schönsten, seine traurigsten und seine lustigsten Gedichte vor. Alle Zuhörer (auch die Zofe) hielten sich an den Händen und Tränen liefen über ihre Wangen: erst, weil es so schön war, dann, weil es so traurig war, und dann, weil es so lustig war.

Und dieses Gedicht gefiel allen am allerbesten:

Ein Berg, der hatte keine Lust.
Ihn plagte riesengroßer Frust.
Kam er doch nicht vom Fleck.
O Schreck!
Da winkte eine Libelle
und küsste ihn auf die Schnelle
in eine Ritze.
Spitze!

Es war ein herrlicher Abend. Ein wunderbar herrlicher
Abend. Die königlichen Eltern tranken Bruderschaft
mit den Dracheneltern. Und sie versprachen, sich
gegenseitig recht oft zu besuchen. Garibaldis
Drachenhaut war ganz rot vor Stolz, dass seine
Gedichte so gut angekommen waren. Noch am
gleichen Abend fiel ihm ein neues Gedicht ein, das
noch Jahre später als sein modernstes gefeiert wurde.
Das hieß „Im sonnigen Paris" und ging so:

Im sonnigen Paris
Drei Katzen kamen einst zusammen
in einem Pappkarton und sprangen
wild in der Gegend rum.
Die eine sprang nach Syrien,
die andre nach Sibirien,
die dritte nach Paris.
Dort aß sie nur noch Grieß-
brei und kochte sich ein Oster-
ei, im sonnigen Paris.

In der Reihe *frechdachs* sind außerdem erschienen:

Gudrun Mebs: Mariemoritz
ISBN 978-3-7941-6088-4

Saskia Hula: Der Lesemuffel
ISBN 978-3-7941-6090-7

Gabi Neumayer: Die Nacht im Zoo
ISBN 978-3-7941-6089-1

Bettina Wegenast: Happs, das Computermonster
ISBN 978-3-7941-6102-7

Christine Nöstlinger: Mini feiert Geburtstag
ISBN 978-3-7941-6087-7

Christine Nöstlinger: Mini muss in die Schule
ISBN 978-3-7941-6085-3

Christine Nöstlinger: Mini wird zum Meier
ISBN 978-3-7941-6086-0

Christine Nöstlinger: Mini unter Verdacht
ISBN 978-3-7941-6111-9

Christine Nöstlinger: Mini trifft den Weihnachtsmann
ISBN 978-3-7941-6113-3

Annette Herzog: Ein Elefant aus Tutukilla
ISBN 978-3-7941-6070-9